강릉 아줌씨

강릉 아줌씨

발　행 | 2024년 04월 29일
저　자 | 최미혜
펴낸이 | 한건희
표지 디자인 | 김지희
펴낸곳 | 주식회사 부크크
출판사등록 | 2014.07.15.(제2014-16호)
주　소 | 서울특별시 금천구 가산디지털1로 119 SK트윈타워 A동 305호
전　화 | 1670-8316
이메일 | info@bookk.co.kr
저자 이메일 | hanlove524@naver.com

ISBN | 979-11-410-8292-5

www.bookk.co.kr

강릉
아줌씨

최미혜 지음

목차

머리말

여성들이라면 겪는 갱년기 시기를 저는 시와 함께 보냈습니다.

해맑고 티 없는 나였는데 갱년기 생각만 하면 또 눈물이 나려고 합니다.
주변 사람들이 무심코 던진 말 한마디, 무심코 한 행동으로 나는 죽을 것 같았습니다. 병원에 가서 상담도 하고 여기저기 자문도 해보았습니다.

그때, 저를 본 사람들은 '그때 네가, 네가 아니었다'고 말하곤 합니다. 내가 생각했어도 그땐 내가 아니었다고 생각이 듭니다. 정신을 어디에 두고 온 사람처럼 이상했었습니다.

어느 날, 우연히 딸 하고 메세지를 주고받다가 무심결에 딸이 '엄마는 글 솜씨가 있다.'고 시를 한 번 적어보라고 하여, 처음에는 못한다고 했다가 지속적인 권유로 시작하였습니다.

시의 내용은 특별한 내용을 담진 않았습니다. 다만, 그냥 제 자신을 있는 그대로 표현하고자 하였습니다. 제 주변의 사물, 환경, 그대로의 감정을 표현하였습니다 때론 감사하고 기쁨 마음으로 혹은 화가 나기도 하여 눈물로 적기도 하였습니다.

여기에는 제가 느꼈던 감정, 그대로의 마음이 들어 있습니다. 여기에는 제 눈물이 담겨 있습니다. 여기에는 제 기쁨도 들어 있습니다. 이렇게 책을 낸다니 더 열심히 써볼 걸 조금의 후회도 있긴 합니다.

하지만, "잘하네" 딸의 말과 "엄마, 못하는 게 뭐야" 아들의 응원, "솔직하게 잘 적네" 남편의 한 마디의 말들이 저를 다시금 해맑고 티없는 최미혜로 만들어주었습니다. 이 시집을 여러분들과 우리 가족에게 바칩니다.

사랑합니다. 감사합니다.

2024년 3월 31일
강릉 아줌씨 최미혜 올림

터치

당신 터치 하나로 숨을 쉬고

당신 터치 하나로 춤을 추고

당신 터치 하나로 소리 내고

당신 터치 하나로 한 몸이 되네

집

아이들에게 집이란 부모 같고
나에게 집이란 당신이고
당신에게 집이란 가족이고

집이란 그런 것 같아

화평 (화목하고 평화롭고)
희락 (기쁘고 즐겁고)
절제 (정도에 넘지 않도록, 알맞게 조절)
평강 (걱정이나 탈이 없음)

집이란 그런 것 같아

9월 어느날

유천동 00번길
9월 어느 날
존재만으로 행복한 아침

눈 뜨는 아침
귀 기울이는 아침
숨 쉬는 아침
생각나는 아침

그 음성에 귀 기울이고
그 선명함에 눈 뜨고
그 향기에 호흡하고
그 생각에 느낌 있네
사랑해~~

골프공

초록색 양탄자
띵끌띵끌 하얀 공
무엇을 보고 웃니!!!

멍 때리는 사람을 보고 웃니
생각하는 사람을 보고 웃니
느낌 있는 사람을 보고 웃니

엉글엉금 기어가고 웃니
뒤뚱뒤뚱 걸어가고 웃니
팔짝팔짝 뛰어가고 웃니
살금살금 날아가며 웃니

너와 나의 관계
너와 나의 인내
너와 나의 회복
너와 나의 사랑
너와 나의 웃음

자동차

반했노라 빠름에

반했노라 색깔에

반했노라 디자인에

반했노라 탄탄함에

반했노라 얼마예요

반했노라 당신

나의 어머니

무겁다 무겁다 내 인생

무겁다 무겁다 내 십자가

어머니의 세월
어머니의 상처
어머니의 희생
어머니의 고통
어머니의 고난

손끝으로 사랑으로 정성껏 키우신 어머니
그런 어머니가 있어
삶의 중심이 되었고
삶의 주인이 되었습니다.

그   사랑
고맙고 감사합니다.

기도

덥지도 않은 것이
춥지도 않은 이 계절이 좋다

단풍이 적제 물든 이 계절이 좋다

무릎 꿇고 기도하는
앉아서 기도하는
엎드려 기도하는
이 계절이 좋다

고뇌의 눈물 흐르는
뜨거운 눈물 쏟아지는
기쁨의 눈물 흐르는 이 계절이 좋다.

축제의 시간
가까이하는 시간
부딪히는 시간
들으시는 시간 이 계절이 좋다

거시기 OOO

하늘도 인정하지 않는 관계
땅도 인정하지 않는 관계
바람도 인정하지 않는 관계
사랑이라 하네

먹은 양만큼 먹으라고 정해주었건만
더 쳐 먹으려고 욕심부리네
정기 휴일도 없니
공휴일도 없니
쉬는 날도 없니
국내산만 사용한다고
얼굴에 나사를 뚫었네

하늘도 싫어하네
땅도 싫어하네
바람도 싫어하네
수치스럽다.

우리집 강아지

엄마 잃어버렸니
아빠 잃어버렸니

그렁그렁 단추 눈, 젖 달라고 라라라

동글동글 솜사탕 산책 가자고 라라라

먼 산 보고 살랑살랑 손님 왔다고 라라라

엄마 되어 줄까
아빠 되어 줄까

고맙다고 라라라
사랑한다고 라라라
빨리 오라고 라라라

내 마음 속의 보석

똑
똑
똑
들기름이 떨어지네
고소할 것만 같은 너와 나

하루하루 퍼즐 맞추듯
살아온 너와 나
앨범 속에 사랑이라는 웃음을
선사한 너와 나
한 가정에 깊은 뜻이 되어 버린 너와 나

서로 때론 통행에 불편을 드린 적이 있는 너와 나
서로 간에 저항력이 있어 견딘 너와 나
서로 회복력이 있어 성장할 수밖에 없는 너와 나

싸움

어리다고 생각해서 이해했지요
아직도 젊으니까 이해했지요

할인 쿠폰이 생겼나
교통량이 증가했나
요즘은 자주자주 싸운다. 눈물이 나도록

당신들 당신들 뭐야
걸 그 적 거려
요즘은 자주자주 싸운다. 눈물이 나도록
이해가 안 된다
이해가 안 된다
요즘은 자주자주 싸운다 눈물이 나도록

시속을 줄여야 하나

30년 사랑 (첫만남)

안녕하세요~~~~^^

아가씨 아가씨
글씨 참 못쓰네
고개를 든 아가씨 칫

남이야 글씨를 못쓰든 무슨 상관 흥
시간 있어요 히히히

30년 사랑이 이렇게 시작되었네요 치
못생겨 갖고 경포에 도너츠 먹으러 갈래요
부릉부릉 앵~~~~
할 이야기는 없었지만 싫지는 않았어요 히히히

30년 사랑 2 (한 가정)

시간이 흘러
남이 님이 되어 결혼하게 되었네요
결혼은 또 다른 삶인 것 같아요
엄마 품에서 남편 품으로
나의 삶에서 너와 나의 삶으로
한 가정이 생긴 거죠

한 가정의 아내로써
한 가정의 엄마로서

한 가정의 남편으로써
한 가정의 아빠로써

해야 할 일과
하면 안 되는 일이
또한 생긴 거죠

30년 사랑 3 (경매)

삶의 여정은 그리 평탄하지는 않았습니다.

검은 머리가 흰머리가 되기까지
숱한 밤을 지새워야 했습니다.

집은 경매로,
몸은 갑상선항진증으로 힘이 든 날이 많았습니다.

먹거리가 없어 슬플 때도 있었고
삶이 안개로 자욱한 것 같이 느껴졌던 때도
있었습니다.

아이들 키우는 데 있어 다칠까 봐
늘 조심했고, 말 한마디에 상처 받을까 봐
늘 귀를 기울였습니다.

30년 사랑 4 (큰 사랑)

30년 사랑 안에 또 다른 큰 사랑이
있었습니다.

그 사랑은 눈에 보이지 않는 사랑
형용 못할 사랑
받은 사람만 아는 사랑

그 사랑을 소개합니다
그 사랑은 하나님 사랑입니다.

그 사랑은 나눌 수 없는 믿음
그 사랑은 행복입니다.
그 사랑은 은혜입니다.

30년 사랑 5 (아이들)

공부하는 성향도 두 녀석은 확연히 차이가
있었습니다

큰 녀석은 매일 공부하는 데 있어
찔찔 짜면서 끝까지 하는 성향이 있었고

둘째 녀석은 진짜 하루 종일
걸려야 하는 공부가 눈 깜짝할 사이에 완성이
되었습니다.
답안을 맞추어 보면 다 맞았고
지금 생각해 보면 이 녀석은 좀 더
구체적으로 체계적으로 큰 아이와 다르게 가르쳐
주었으면
영재 소리를 듣지 않았을까?

아이들로 인해 웃고
아이들로 인해 행복했습니다.

아이들로 인해 눈물이 나고

아이들로 인해 기뻤습니다.

아이들로 인해 아무리 힘이 든 일이 있어도
견딜 수 있었습니다.

세상 부모들은 다 이런 맘이겠지만 특별히
예뻤습니다.

학교 끝나고 집에 오면
일기 적듯이 흥미롭게 이야기를 하였고
꼭 내가 동심으로 돌아간 기분이었습니다.

30년 사랑 6 (어린 새싹)

우리는 어린 새싹이었던 것 같습니다
어른이 되어 가는 과정을 공부했던 것도
아니고 어느 날 갑자기 어른이 되어 삶을
이끌어야 했고 그러다 보니 실패를 거듭거듭
했던 거 같아요

아이들이 성장할 때 삶이 막막할 때도
있었습니다.
그럴 때마다 남편 엉덩이를 살포시 두들겨
주었어요.
그 의미는
"당신 참 잘하고 있어."
"당신 최고야."
"오늘도 빠팅하고 사랑해 "라는 의미가
있었습니다.
세상의 중심에서 우리가 벗어나면 안 되는
사랑이 있었죠
참
치열하게 살았던 것 같아요
남편은 새벽부터 시작해서

새벽에 끝나는 일이 많았고
저는 아이들과 생활하면서
아침 점심 저녁 기도를 하는데
눈물이 범벅이 될 때가 많았습니다.
"어떻게 살아야 되나."
그럴 때면 어린 아들이 작은 손으로 옆으로 와서
눈물을 닦아 주었었습니다.

기도 중에 하나님의 역사하심과
마음의 평화를 찾았고 아이들은
무럭무럭 티 없이 맑게 성장할 수 있었습니다.

결혼이야기

남들이 뭐라 해도 둘은 좋았네
남들이 뭐라 해도 같은 날 같은 장소 둘은 좋았네

축복의 날
축제의 날
감사의 날

너와 내가 하나가 되는 날
너와 내가 중심이 되는 날
너와 내가 어른이 되는 날

살아가면서 변질될 수 있네
살아가면서 교환은 각자의 몫
살아가면서 보상도 각자의 몫
살아가면서 생긴 상처는 지워지지 않네
살아가면서 생긴 상처는 삭제되지 않네
살아가면서 진짜 여자 남자는
그 상처를 안고 자기 것을 소중히 지키는 것이네

휴대폰

벨 소리가 울린다.
여기 보라고
미친 듯이 울린다.
여기 보라고

여기 보고 있으면
다양하게 갖고 놀다가
감정의 주인이 되기도 하고
흉내 내기도 하고
뜻하지 않게 비상교육도 받네

그곳에서 결핍을 찾으려고 하네
그곳에서 사랑을 찾으려고 하네

가을

빨갛게 빨갛게
노랗게 노랗게
힘내라고 몸짓으로 이야기하네

기대감보다는 상실감과
허탈감이 다가오는 가을

빨갛게 빨갛게
노랗게 노랗게
힘내라고 표정으로
이야기하네

향수

기억 저편에서 생각나는 향기
엄마의 우윳빛 젖 향기 인가
아버지의 그윽한 담배 향기인가

눈부신 아침
뜨거운 물로 몸을 담그고
아침을 맞이한다.

부드럽고 깨끗한 옷으로 몸을
감싸고 반짝이는 향기로 내 몸을 터치한다.
슬픔은 사라지고 기쁨만 남는다.

기쁨의 향기
살짝살짝 뿌려주면 세상은
아름다운 빛으로 변한다.

나를 설레게 한다.

은행나무

이 나무는 아주 멋진 어른
뿌리에서 꼭대기까지 뻗은 자신감
얼굴은 노랗고 다리는 길지
자기애가 아주 강한 어른

드레스를 입으면 화려한
웨딩드레스가 어울릴 것 같고
물이 주는 안정감으로
지난날은 후회함이 없이
당당하구나

널 보고 있으면 흐뭇하구나
자신감이 생기는구나

삼시세끼

어릴 때 그저 많이
먹으라는 어머니의 소리

많이 먹고 쑥쑥 자라
새 생명의 자랑스러운
아들이 되어 다오
딸이 되어 다오

하늘과 땅이
숨을 쉬는
정다운 친구
즐거운 친구

영혼과 육체를 채워주는
따뜻한 친구

친구

함께하고 싶은 친구
내 기억 속에 생각나는 것을
이야기하고 싶은 친구 고무줄놀이하다가
타이즈에 구멍이 날 정도로
우리는 같은 하늘을 쳐다보고
해맑게 웃었지
손가락으로 구름을 가리키며
움직인다고 손뼉 치며 놀았지
내가 더 신경 써야 했는데
어느새 나이를 먹었네
웃으면서 가까이하고 싶은 친구
해 맑은 웃음과 행복한 추억만
안고 살아가길~~~~

커피

아직 어둑어둑한 시간
그라인더에 커피를 갈고
마음의 빈자리를
커피로 풍성하게 채운다

커피의 향이 온 집안을
풍요롭게 채울 때
따스한 정이 흐르고 이야기하게 된다.

감미로운 커피가 목덜미를
타고 흘러내릴 때
생각하게 된다.

사랑해 사랑해 세상을 향해
달콤한 다리가 되어 행동하게 된다.

21년 10월 31일

김장김치

25년 전 어머니가 어느 날
갑자기 가르쳐 준 김장김치
그때는 섭섭했었네
8포기 김장도 아닌 것이
나를 힘겹게 했고
나를 놀라게 했네

어머니는 매년 100포기
120포기를 그 여린 손으로
혼자 다 하셨네
미안합니다.
죄송합니다.
그때는 몰랐네
그때는 몰랐네
그렇게 힘이 든 것을
그때는 몰랐네
두 볼은 상기되어 발그스름하게
꽃분홍빛이 였던 어머니
작은 체구에서 뿜어져 나오는
무한한 사랑

놀랍도록 시원한 어머니의
김장김치

아버지의 인생

20년간 아버지는 아프셨다.
다들 자기 일에 분주할 때
옆에는 항상 라디오가 있었다.

세상과의 소통이었고
세상과의 동행이었고
세상과의 회복이었다.

아버지는 항상 건강하게
회복될 것이라고 하셨다.
연일 계속해서 일어나면
무엇인가를 해주신다고 하셨다.
언제나 어디서나
아버지 하면 생각나는 라디오
우리 아버지를 생각하면
라디오가 생각난다.

인생

하나님께서 만들어주신
우리나라 좋은 나라
사계절을 허락하신 하나님
계절의 변화에 인생길이 보이네

어떤 고난이 찾아오면
어떤 고통이 찾아오면
빨리 가라고 등 떠밀고 싶네

매서운 한파 지나가면
따스한 봄날이 오듯
인생길은 이런 것 같네

하나님께서 각자에게
맡기신 사명
일이 있다면
성실히 행할 때
위로 주시리
기쁨 주시리
축복 주시리

웨딩

화려한 샹젤리아 밑에
전날에 묵은 찌꺼기
훌훌 먼지 털 듯이 털어 버리고
새날, 새 기분, 새 뜻을 가지고
힘차게 행진하네

어제가 오늘이 아니듯
오늘을 맞이하네
태양이 떠오르고
풍차는 돌아가고
고요하고 조용하게
우릴 향해 웃고 있네

따뜻한 눈빛이 오고 가고
그 눈빛에 기쁨이 있고
사랑이 가득하네

오늘의 눈빛이
내일의 눈빛이 되고
한결같이 빛나고

한결같이 사랑하고
한결같이 등불이 되리

사랑

콩닥콩닥
파도처럼 서서히 다가와
내 몸을 적시는 당신

수많은 모래알 속에서
밀려온 당신

밀려오는 파도에 내 몸을 적시며
사랑을 뿜으리~~~~

기다리고
기다려서
만난 인연

사랑은 성결해
행복하여라

남편 건설현장

시 뿌연 여기
조각조각 흩어진 돌
널 부러진 흙

삑삑
털컥털컥 화물차 소리
정겨움이 가득한 고향 소리

뚝딱뚝딱 아름다운 시간
예쁜 옷으로 갈아입네

시작하는 시간이 있으면
끝나는 시간도 있다네
멈추는 순간
아름답게 피어나네
어떤 털도 없이 완벽하게 꾸며지네

21년 12월 8일

우리딸

단속 중 단속 중
우리 딸 단속 중

회사에 과속하지 말고
학교에 과속하지 말고

제한 속도 해제해 줄 테니

저 별에서 오는 녀석
유난히 반짝이는 녀석을 만나
도란도란 이야기하면서
가슴이 따뜻해지고
좋은 기운이 샘솟는 녀석을 만나
언제나 어디서나
서로 간에
행복을 주는 사람
사랑을 주는 사람
영원히 변하지 않는 사랑
행복하리

21년 12월 10일

겨울 찬 공기

특급 배달 찬 공기
반겨야 하나
즐겨야 하나
안녕~~'^^
눈을 들어 찾아본다.
거기 누구 없소
어깨 위로 스치는
스잔한 찬 공기
마음 속에 부는 바람
움크리지 말고 활짝 펴세
삶의 질을 높여
나눔의 즐거움 흩어지게 하세
나를 위해
너를 위해
겸손하게 찬 바람을 나누세
더 많이 더 즐겁게 나누어 행동하세
나를 위해
너를 위해
즐기세

21년 12월19일

내 남편

30년 동안 한결같이 사랑한 남자
세상에서 유일하게 바라본 남자
내 남자라고 생각했을 때
장성한 한 남자로 사랑했었네

때론 사랑해서 화도 내고
때론 내 마음 내 생각과 달라
눈물도 많이 흘렸지
이럴 줄 몰랐네
사랑해서
산다는 것이
가슴 졸이며
가슴 졸이며
눈물이 났네

12월의 어떤 날

이런 날 그냥 있어도
행복하다 마냥
겨울치고 춥지 않아서
숨만 쉬고 있어도 행복한 날

그냥 때 묻지 않은 오늘
음악이 흐르면
춤이라도 출 텐데
좋다 좋아
그냥 좋다
마냥 좋다

갓난 아기가 누워만 있어도
입술을 움직여 함박웃음으로
변하는 것처럼 오늘이 그런 날
춥지 않아서 좋은 날

어깨에 두꺼운 외투
걸치지 않아서
행복한 날
뜨끈한 날

미성숙

하나
둘
셋
훨훨 날아라
마음껏 날아라
빨, 주, 노, 초, 파, 남, 보
선명한 색깔

나무가 자라듯 나도 자랐네
아이도 낳고 아이도 자랐네
열심히 살면 되는 줄 알았네
착각이었네
미성숙하였네
똥 싼 바지 때문에
삶이 흔들거리네
몸의 균형이 깨지네

맑은 물 한 번 내리면 깨끗한 물
나오는 줄 아네
그 테두리에 끼는 때와 오물은
누가 닦아주나
누가 닦아주나

22년 1월 21일

꺼묵꺼묵한 아침

진눈개비 내리는 날
밤새 하얗게 살포시 내렸네

꺼묵꺼묵한 아침
아침을 알리는 하늘이
오후를 알리는 하늘 같네

하얗게
하얗게
물 위에 눈이
눈 밑에 물이
둘이 하나인 듯 속삭이네

강릉이래요

흙이 좋은 강릉
그래서 흙 내음이 나는 강릉
소나무가 멋진 강릉
그래서 솔 내음이 나는 강릉
바위가 많은 강릉
그래서 뚝심이 있는 강릉
그 속에서 오고 가는 따뜻한 감성
그 속에서 피어나는 아름다운 자태
내일을 준비하네
행운을 빌어
아름다운 강릉 사모하네
내 곁에 있는
넌
강릉

제주 신창 풍차 해안

보기만 해도 기분 좋게 만드는 곳
바로 이곳인 것 같아요
사람을 착하게 만드는
풍차바람
그곳이 좋네요

눈 번쩍 귀 번쩍
온몸이 번쩍이는 곳
그곳이 좋네요

바다 사이사이
구멍이 송송 난 돌들
어머니의 뜨거운 눈물 자국인가
아니면
아버지의 걸음걸음 발 자취인가
잔잔한 물소리
잔잔한 파도 소리
잔잔한 풍차 소리
다시 뒤돌아 생각나게 하네

입춘이 지난 2월

시선이 하늘을 향하여 머문 곳
선자령에 하얀 눈이 왔네
맑은 날 풍차는 돌아가고
푸른 소나무는 그 느낌 그대로
여유 있게 우뚝 서 있네

시선이 아래로 아래로 오면
차도 달리고
새들도 날아다니고
사람들도 분주히 걸어 다니네

빨간 지붕 주황색 지붕이
정겹게 보이네
한가로운 마을 풍경
오늘도 돌아가네
정겨움이 가득한 마을 풍경
그곳에 온기가 가득하고
그곳에 평화가 가득하네

아들에게

설악산에 가면 울산바위가 있고
설악산에 가면 흔들바위가 있고
설악산에 가면 여기저기 흩어진 돌들도 있네

수많은 날을 보냈고
수많은 시간도 지나갔고
수많은 사람도 왔다 갔지

첫걸음을 걷고
또 걷고
또 걷고
또 걸어서 누구나
갔다 올 수 있었지
그렇지만 걷지 않으면
갈 수 없는 곳

걷다 보면 인생이 보이는
걷다 보면 어느 날 울산바위가 되어
바라볼 수 있고
걷다 보면

어느 날 흔들바위가 되어
흔들흔들할 수 있고
걷다 보면
흩어진 작은 돌이 되어
여기저기 왔다 갔다
할 수 있지

오늘도 우리는 보이지 않는
공기와 빛과 그늘 아래서
힘을 얻고
그 힘을 받아
남도 살리는 아들이 되어다오

환한 빛과 같은 인생
기쁜 소식을 전하면서
걸을 수 있는
힘 있는 아들이 되어다오
걷다 보면
보이는 인생

가 본적 있는 그곳

아침이면 제일 먼저
자연스럽게 바라보는 곳
잘 잤니
잘 잤어

새 생명이 움트고
위태로운 것은 없는 곳
투박하게 올라오지만
웃음꽃이 피고 그리움도 머문 곳
겨울이면 겨울답게 환상적이고
봄이면 봄답게
화려한 옷으로 갈아입고
여름이면 여름답게 숨 쉬고
쉬고 싶은 곳
가을이면 가을답게
엄마 품처럼 품어주는 곳
그곳은 계절마다
한 상 가득 영양가 있는
음식을 대접받는 기분
그곳은 사계절

모든 것이 세계적인 느낌

목소리 내어 이야기할 수 있네
가 본 적 있는 그곳은
백두대간 선자령

기호식품

매일 마시는 술
같은 시간 다른 사람

매일 흡입하는 담배
같은 시간 똑같은 담배
입술을 적시네
퐁당퐁당 내 온몸을 적시네
넘치는 힘으로 주체 못 할 시간
매일 마시는 술
매일 흡입하는 담배
술과 담배를 접속하는 것이
내 즐거움이네

내 몸이 하수구 마냥
쏟아붓다가 막히면
누가 뚫어주나?
내 몸에 불을 매일 태우다가
불이 붙으면 누가 불 꺼주나?
내 몸에도 보호구역이 있는데
주인 잘 못 만나
쉬지도 못하고 움직이는구나
나 좀 살려 줘~~^^

겨울을 지나

겨울이라는
두툼한 낙엽을 깨고
새싹들이 움직이네

땅속 온기로 세수하고
땅속 온기로 몸단장하고
땅속 온기로 화장을 하네
초록 초록
너를 알지마
너도 나를 반갑게 맞이하네
금빛 찬란한
나무와 낙엽 그리고 풀
위로하는 마음으로
늘 내 곁을 지키고 있네
아플 때나
슬플 때나
괴로울 때나
즐거울 때나
내 곁을 늘 지키고 있네

\-

\-

\-

\-

고맙다
자네

눈

깊은 밤 한숨 자고 깨니
온 세상이
하얗게
하얗게
밥 상이 차려졌네
하얀 이 밥에
눈 꽃이 피어나네

소나무 위에도
지붕 위에도
대문 위에도
하얗게
하얗게
눈 꽃이 피어나네
하얀 영양제 먹고
하얗게
하얗게
내 마음도 피어나네

54살 내 인생

아직도 철부지 같은 내 마음
나이는 쉰네 살
결혼을 하면서
인생을 배워가는
30년 생이라네

얽히고설킨 매듭보다는
평범한 일상을 사랑하는 나
부정적인 것보다는 항상
긍정적인 사고로 노력 중이네
스트레스가 쌓이면
남편 품을 찾네

남편과의 친밀도가 떨어지면
어김없이 찾아드는 결핍
사랑으로 묶인 가정
사랑으로 품어주어야
성장하고
세워지네

아름다운 자태

자연은 쉴 새 없이 움직여
그 아름다운 자태를 뽐내는데
사람도 계절이 바뀔 때면
그 아름다운 자태로
형형색색 향기와
온화한 모습으로
자연을 닮아가네

평탄한 길을 걷고 있는
사람은 평탄한 모습으로
내리막길을 걷고 있는
사람은 내리막 모습으로
오르막길을 걷고 있는
사람은 오르막 모습으로
자연을 닮아가네

우리는 우연 중에
자연을 닮고
그 자연을 습득하고
보배를 얻네

손 거울

꽃바람 타고
손 거울이 도착했네
빵 모자에 선글라스
청바지에 흰 티셔츠
하얀 운동화에 핑크 가디건
툭하고 걸친 모습이 자연스럽다
너 가져
손바닥 안에 예쁜 손 거울이
반짝거린다.
어머나
예뻐
영화배우처럼 생긴 언니가 주니
더 예뻐 보이네
손거울을 보면서
진한 립스틱도 발라본다.
아~~~
예뻐
입꼬리가 올라간다.
내 입술도 거울 마냥
반짝거리네

손뼉 쳐 주고 싶다

밤 하늘에
수많은 별이 반짝인다면

봄에는
무지개 꽃들이 반짝거리고

가을에는
붉게물든 단풍이 반짝거리고

땅 위에는
따뜻한 사람들이 반짝거리고

내 행복에는
당신이 반짝거린다고
손뼉 쳐 주고 싶다

황금 보자기

푸르름이 가득한 휴일
솔 밭 위에
돗자리를 펼치고
황금보자기를 펼치니
갖가지 음식들이
쏟아져 나온다
우와 이 정선
우와 이 기쁨
사람을 놀라게 하는
황금 보자기
갖가지 색보다 더
고은 음식들
준비한 손길은
황금손인가
엄마의 얼굴인가
천사의 마음인가

청년들에게

엄마 아빠 품속에서 자라다가
하나님 품 속에서 성장하고
세워지는 멋진 청년들에게

길을 떠났네
두 발이 인도하는 곳
두 손이 모인 곳
한마음
한뜻으로
영과 진리로
하나님께 예배드리네

아름다운 모습
하나님의 큰 뜻이 있어
이곳에 모인 청년들
온유와 겸손으로
각자의 위치에서
별처럼 빛나고
쉼을 얻으리라

22년 6월 24일

아들 딸

훌륭한 아들
자랑스러운 딸
팔도 휘저으면서
발로 휘저으면서
똑바로 걷고
똑바로 바라보고
똑바로 생각한다는
아름다운 마음
참으로 곱구나

삐뚤삐뚤
삐딱삐딱한 모습도 있지만
언제나 반듯한 마음 곱구나

22년 10월 25일

아침 꽃

아침에 눈을 뜨면
삶의 꽃은 피어나네

내 마음을 비추는 햇살
감사 꽃이 피어나네
고맙다고

마음의 꽃이 성장해야
삶의 꽃도 성장하네

세수

매일 아침 세수를 한다.
머리도 감는다

내 얼굴은 보석
닦고 또 닦는다.
이기적인 생각
이기적인 마음을
닦는다.

불완전한 마음이
완전한 마음으로

꽃밭이 될 수 있게
오늘도 세수를 한다.

똥칠

나는 나빴습니다.
내가 나빴습니다.

얼굴에 똥칠을 했습니다.
마음에 똥칠을 했습니다.

나는 나빴습니다.
내가 나빴습니다.

뜸 들이는 하루

밥 짓는 과정에서 뜸이 들어
밥 맛이 맛있어지는 것처럼

언어의 표현에서도 생각이라는 뜸이 들어
말의 표현이 고와지네

매 순간 삶 속에 선택이라는 뜸이 들어
건강한 세상이 만들어지고,
아름다운 세상이 펼쳐진다.

여보-

먼 길을 왔나?
누군가 만들어준 길도 아닌데 누구나 가는 길인데
나 혼자 온 길도 아니고 아직도 갈 길은 멀기만
한데 그렇게 삶의 틀 속에서 세월은 흘렀고
너무나 짧게 길을 온 것 같다.

마음은 아직도 오죽헌 대나무 숲에...
강릉초등학교 벤치에 머물러 있고, 홍제동 골목길
당신 이마에 키스로 남아있다. 사랑이라는 글자에
사랑을 포장하고 싶지는 않다.
나는 단지 당신을 아끼고 싶은 마음뿐

일상에서 짬짬이 당신의 마음을 담은 작은 글이
어느 누구에게 기쁨과 희망이 되어주길 바라고
항상 긍정적인 믿음과 웃음으로 생활해 주는
당신에게 너무 감사하고 고마울 뿐...

축하합니다.

사랑하는 남편이-

사랑하는 엄마

시에서 '우리딸 단속중'이라는 내용이 있을 만큼 엄마의 열정을 닮은 나는 커오면서 엄마의 지혜와 열정을 항상 존경하고 자랑스럽게 여겼어요.

갱년기로 힘들어하던 엄마의 모습이 아직도 생생한데 그 시기 동안 시도 쓰고, 그림도 그리고, 하모니카도 연주하면서 이겨낸 엄마의 모습이 진희 동준이 엄마, 한명철 아내가 아닌 최미혜로 살아가는 것 같아 보기 좋았어요.

3년의 시간동안 55편의 시를 꾸준히 써 이렇게 시집까지 발간하게 되어 정말 축하해요.

엄마의 모든 말과 감정이 종이 위로 피어오르며 많은 갱년기를 겪고 있는 엄마 친구, 여성들에게 위로와 감동을 줄 것이라고 생각해요. 엄마의 시가 많은 이들에게 희망과 용기를 전달되길 기도할게요.

이 시집을 시작으로 엄마의 인생에도 더욱 멋진 풍경을 만나길 기대해보자구요. 2편, 3편도 파이팅!

엄마의 귀염둥이 딸올림.

최 미 혜

1969년 0월 0일 최미혜 퍼즐 판이 시작되었다.

흰 여백으로 가득한 그곳을 그녀는 하나하나 맞춰나가기 시작했다.

어느덧 시간이 흘러 55년이라는 길다면 길고 짧다면 짧은 시간이 흘렀다.

한가정의 딸, 그 가정에서의 두 번째 막내 그리고 현재는 한가정의 어머니로 거듭나고 있다.

그 과정 중 그녀도 많은 일 있고 넘어지고 일어서기를 반복해서 지금 이 자리를 빛내고 있다.

자신이 생각하기를 항상 부족하다며 자신을 질책하지만 주변에서는 그녀를 위해 박수를 보낸다.

넘어지는 일이 많았던 그녀는 항상 씩씩하게 털고

일어나는 그 모습에 박수를 보낸다.
남들이 그녀에게 묻는다. 어떻게 하면 넘어져도
그렇게 잘 일어나냐고.

그녀는 말한다. 내가 일어나지 않으면 누가
일어나냐고.

지금도 최미혜는 넘어진다. 하지만 오늘도
일어난다.

그렇게 55년 시간이 지나 최미혜가 완성되어
간다.

매번 새로운 퍼즐을 채워가는 최미혜에게
박수갈채를 보낸다.

멋있는 아들올림.

감사의 말

 여러분을 깨우고 부르며 함께 이야기를 나누고 같은 방향을 향해 같은 마음으로 바라보는 모든 분들께 감사의 말씀을 전합니다. 때로는 지혜와 지식이 부족하여 실수를 범하기도 하지만, 그 과정에서 자기 반성에 더디게 고쳐나가는 모습을 보며 자주 반성하게 됩니다. 왜 이렇게 말도 잘 못하는지, 어리석을 때가 많은지에 대해 고민할 때마다, 주변의 자연환경과 함께하는 소중한 친구들이 있어서 행복합니다.
 짧은 시간 안에 나만의 글을 쓸 수 있고, 그 글을 함께 공유할 수 있는 기회가 있어서 더없이 기쁩니다.

 감사합니다.

2024. 04. 02. 최미혜 올림.